KB196678

저녁으로의 산책

황금알 시인선 218
저녁으로의 산책

초판발행일 | 2020년 10월 17일

지은이 | 정병숙
펴낸곳 | 도서출판 황금알
펴낸이 | 金永馥
선정위원 | 김영승 · 마종기 · 유안진 · 이수익
주간 | 김영탁
편집실장 | 조경숙
표지디자인 | 칼라박스
주소 | 03088 서울시 종로구 이화장2길 29-3, 104호(동숭동)
전화 | 02)2275-9171
팩스 | 02)2275-9172
이메일 | tibet21@hanmail.net
홈페이지 | http://goldegg21.com
출판등록 | 2003년 03월 26일(제300-2003-230호)

값은 뒤표지에 있습니다.
ISBN 979-11-89205-72-0-03810

*이 도서의 국립중앙도서관 출판예정도서목록(CIP)은 서지정보유통지원시스템 홈페이지(http://seoji.nl.go.kr)와 국가자료종합목록 구축시스템(http://kolis-net.nl.go.kr)에서 이용하실 수 있습니다. (CIP제어번호 : CIP2020040607)

저녁으로의 산책

정병숙 시집

황금알

| 시인의 말 |

아침저녁으로 창가에 머물다 가는 작은 새가 있다. 그 새가 마시는 돌확 속의 물그림자 같은 아련한 언어의 숲을 떠돈 지 꽤 오래되었다. 더러는 나를 시인이라 부르지만, 그 가난한 명명마저 부담스러운 일이다. 얼키설키 정을 나누는 사람들이 좋아서 은유의 날실과 상징의 씨실을 엮으며 가뭇없이 다가서는 희부윰한 내 생을 홀로 가늠한다. 마음이 어둑어둑한 허공 속으로 침전해 갈쯤 넋 놓고 앉아 다시 저 별을 헤아려 보리라.

2020년 여름

정병숙

차 례

1부 토르소의 노래

2부 통화권 이탈지역

3부 팽이가 걸린 창

4부 홍어

1부

토르소의 노래

해 뜨는 집

제기동에 토르소가 산다 이른 아침마다 유리컵에 작은 바다가 담긴다 쪽빛 순천만 아른대는 고향 바다 칼갈매기 쌩 허공을 벤다 깃털구름의 붓 하나 잠시 떠 있다 토르소가 팔을 휘저어 일필휘지 수평선을 긋고 그윽이 바라보는 작은 바다 해가 떠오른다 와온 앞 바다가 환하다 용왕님, 해파리, 말미잘, 해삼, 멍게는 성히 잘 있나요 어쩌나 가늠하지 못할 팔 없는 외로움 파도에 중심 기우뚱 몸이 흔들린다 밤마다 돋고 자라나는 토르소의 깃털, 묵향이 어둡고 후미진 골목에서 나비 떼춤을 춘다

저녁으로의 산책

저녁은 너무 일찍 찾아들었다
길 나선 달빛보다 먼저 옷 갈아입고
야생의 영혼들 마른 옷깃 흔드니
갱년기 앓던 민들레의 봄꿈이
홀씨처럼 피어난다
남몰래 아픈 이들 저녁은 길다
알 수 없는 그리움이
나무에서 나무로
얼었던 내 혈관을 타고 흘러
말랐던 감각의 관다발을 흔든다

살아야겠다 다짐하는 안개 바람 속
도둑고양이 한 마리 쓰레기 뒤적이고
전선 없는 전봇대에 바람이 매달린다
늦은 귀가를 서두르는 자동차의 행렬
꼬리가 길다

나는 나로부터 너무 멀리 왔다

오월의 청량리

전봇대에 기대선 오후 한나절
태양도 기울어 가고
수양버들 번식 위한 화분
아무렇게나 쏟아져 내려
초겨울의 눈발처럼 흩날리고 있다

다색초 계곡에서 전해올
엘레오노라* 소식 마중하러
떠나는 기차
끝없이 뭍으로 뻗은 철로의 평행
거슬러 올 침묵
먼지 낀 플랫폼

스스러움에 젖은 역
허기진 비둘기떼에 둘러싸여
밤새 유랑의 몸 지켜 주었다

철로에 매단 주검
다색초 계곡에 묻고

바깥세상에 옮길 또 다른 그리움이
그녀는 슬펐을까

엘레오노라 발아래 엎드린 약속
허영과 난폭의 물살 속으로 돌아왔다
비리고 습기 찬 골목 귀퉁이
오월의 청량리에서
그 여인 다시 찾을 것인가

* 엘레오노라: 에드가 앨런 포의 단편소설 「엘레오노라」의 주인공으로 다색초 숲에서 사촌과 사랑에 빠졌던 여인.

지하도의 공룡

고려대 정문 지하도엔
늙은 공룡이 살고 있다

영혼 없는 어둠이 익숙한 남자

침묵의 거리는 반경 0.5미터
그 사이

손 내미는 동전 한 닢

공룡의 세월

난을 키우는 토르소

해가 뜨는 유리컵 순천만 와온 앞바다가 붉게 잠긴다 제기동 잠시 머물다 가는 창가 팔 없는 꽃구름이 아침마다 돋아나는 한 손으로 난을 키운다 난잎이 포물선으로 휘어 바다로 이어진다 그윽이 바라보는 깊은 유리 바닷속 길이 갈라진다 빨강, 노랑, 파랑, 하양 파도 이는 싱싱한 와온 앞바다에서 팔딱팔딱 팔딱인다

토르소의 노래

어깨에 펄럭이는 긴소매
온몸에 구릿빛 바람을 발라놓고
천 년의 흙덩이를 거슬러 오른
침묵하는 토르소를 본다

바구니에 지폐 몇 장과 흩어진 동전들
세상 속으로 손 내미는
양심은 도망치고 있다
잘려나간 왼쪽 팔은
어느 언덕에 묻었는가

깊은 강을 헤엄치듯 천천히
횡단보도 건너
북적이는 사람들 틈으로 들어선
꿈이 파란 신호에 머뭇거릴 때
거친 호흡을 몰아 우리는
나란히 신호를 건넌다

밑그림부터 잘못된 드로잉

어둠에 잠든 토르소는
깨어 미켈란젤로를 노래할까

전선 위의 새가 황혼 속으로 사라질 때
청계천, 잘려진 허벅지가
달궈진 아스팔트를 문지른다

자줏빛 나무대문 집

밥상 일찍 물린
자줏빛 나무대문집 할머니
휜 허리 펴가며
등 굽은 손자 녀석 손 붙들고
종이 더미에 긴 한숨 실은 채

"그 집안은 딸이 셋 모두
다른 서방 본겨 지 새끼들
버리고 미친 것들이제"

까치와 참새들 뜰에 모여
개밥그릇에 붙은
밥풀 쪼아 먹을 때
목련은 다시 피어날까

여덟 번 수술받았다는 다섯 살 아이
신동이라 칭찬 늘어놓던 할머니
새벽녘 곡哭인 듯 오랜 기도 소리
해맑은 웃음소리

정릉천 아래 별똥별 하나

배꼽

도서관 계단에서 햇살 배꼽티 진달래 따끈하다 서둘러 버스를 타는 배꼽 창밖으로 스치는 나무 위에서 쇼윈도에서 S라인 폼을 잡는다 청량리에서 가장 이름난 냉면을 먹는다 종각 공안과에 들러 시력을 체크하고 영풍문고에 들러 노자의 도덕경을 만나 몇 시간 노닥거리고 교보문고에 들러 선배 시집을 훑어보고 푸코를 찾다 포기하고 밖으로 나오자 이미 저녁 해는 비틀거리고 지친 배꼽이 땅으로 뚝 떨어진다 말미잘 문절구 멍게 해삼 똥게 망둥어 지나가는 배꼽 집으로 돌아오는 길 핏발 선 노을 제기동 샛강에서 허우적인다

착각

중산층 늙은 여자를 싣고 갈 자동차
주차장에 대기 중
옷장을 열면 한 달 정도 갈아입을
뭇 상표들이 아우성치며
나프탈렌 냄새가 외출 준비를 한다
부동산 몇 자락 그린벨트 해제되면
세상은 모두 내 땅
지독히 앓던 너도 버릴 수 있다

삐걱거리던 기차에
무거운 시신詩身 싣고
봄을 찾아 나서던 일도
밤안개 속 액셀레이터 밟던
일도 그만둘 수 있다

비 내리는 밤
벌레 같은 네 생각이
한밤의 수면을 갉아먹고 있을 때
가로등 깨워
눈물 강물에 보태주고 와야겠다

애꾸눈 선장 돔

돔, 광어, 도다리, 우럭 그중에 가장 잘생긴 돔이 추파를 던진다 하나같이 애꾸눈이다 어둠 속으로 사라질 죄수는 말이 없고 목 조이는 간수 호시탐탐 어떤 놈을 선택하면 된다 순간 거친 사내의 손놀림 끝에 생이 달렸다는 걸 알았을 때 더는 선택을 거부할 수 없다 이미 그는 수술대 위에서 호흡을 몰아쉬고 마취가 끝난 듯 천사의 손끝에서 빚어낸 고운 살결 가지런한 생을 대변한다 대신 살아줄 수 없다 단지 그자의 몫일 뿐 한 곳만 바라봐야 하는 망막 소리 없이 떠나버린 옆자릴 그는 모른다 누군가 빈자리를 채워 주는 것도 모른다 그들이 왜 하나같이 애꾸눈이었는지도 아직 감기지 않는 애꾸눈 돔 남은 친구들에게 입 맞추고 싶다 도마 위 팔딱거리는 생의 갈무리 몸부림이 헛수고임을 알았을 때 옆자릴 지키던 애꾸눈 선장 돔 시퍼런 날 세우고 있다

검은색 레인코트

너는 뇌파 검사를 받는다고 했지
플라타너스 무성하던 여름 내내
긴 옷을 입었고 까만 머리가
사뿐히 내려앉던 검은 색 레인코트
촉촉한 눈엔 늘 푸른 샤도우가 어울렸어

사내보다 잘났단 이유만으로
숨죽여야 했던 지난날들
손찌검 잦아진 사내
새 둥지로 떠나가고
마음 시린 넌 병원 찾는 일 잦았어

후미진 골목마다 뿌연 서리가
찬비에 부서지던 그해 늦가을이
너와 나 마지막 만남이었을까

날고 싶다던 너
서른의 소풍 끝나는 만추의 저녁 뜰에
플라타너스 잎은 한없이 지는데

후생은 또 어느 나무 끝에 닿아
검은색 레인코트의 그늘을 밟을 것이냐

허공의 잠

집과 집 사이

세로로 눕는 햇살
땅을 딛지 못하고
사선을 딛고 선다

끊어질 듯 간들거리는
바람의 저 건너 바람
스스로를 벼린다

좀 먹지 않는 시간
내 속살 파고든
햇살 안은 홀로 든 잠

오늘 밤

누지앙

파란 눈 댕기머리 여자 깊은 우물에 찰랑이는 봄을 길어 올린다 기린 목처럼 긴 슬픔을 길어 천수답에 붓는다 햇살 머금은 붉은 소금

객지로 떠난 사내 두어 달 만에 차마고도로 돌아왔다 하룻밤을 아내와 보낸 큰형은 소금을 싣고 도시로 떠나고 둘째 형은 차를 팔러 뒷날 인도로 떠난다 여자를 독차지한 막내는 뒷날, 또 그 뒷날 야크를 몰고 더 높이 차마고도를 오른다

떠나는 사내의 뒷모습을 우두커니 지켜보던 차마고도의 여자, 세 남자의 아내이며 두 남자의 형수다 태양 가까이 죽을 자리를 펴는 야크는 태곳적부터 그래 왔듯 붉은 소금만 먹고 산다 영원히 길들지 않는다

거미

흩어진 어둠 속으로 장대비가 쏟아진다

검은 베레모를 쓴 손님은 밤비를 타고 앉는다

비켜서 체중을 가늠할 때 들어오던 사내는 쓰러져간다

시차를 달리해 무게를 피할 것이지

가는 길을 지우며 떠난 너 나 또한 지우거라

움켜쥔 어둠 서쪽 하늘 노을을 삼키듯

광화문 청개구리

밤비로 불어난 청계천에서 망둥어가 뛰고 있다 수직으로 내리쬐는 햇볕 뜨거운 7월 오후 웅덩이로 청개구리가 뛰어든다 별이 되었나요 꽃이 되었나요 도심 속으로 초대된 학 같은 선비를 만나 다섯 가지 덕을 듣는다 "반문斑紋이 있어 좋고, 맑아서 좋다. 욕심이 없으니 염치廉恥가 있어 좋고, 집이 없어 검소儉素해서 좋다. 떠날 때를 알고 있으니 신의信義가 더더욱 좋다." 빌딩 사이로 매미가 뛰고 정신 나간 공자가 있다 모두 사이좋게 웃는다 어슬렁 어슬렁 땅거미가 활보할 때 청계천 주변 가득 맴도는 맹꽁이들 맹맹거리고 밤하늘 별들은 맥없이 뛰고 덩달아 금강산 꼴뚜기도 뛴다

우화羽化를 꿈꾸며

초여름 숲이 불러 나갔다 자작나무 기둥 너머 탈각한 매미의 발자국을 본다 별과 대작하며 거나하게 취한 밤, 달을 등진 암흑 속에서 오랜 유충의 시절 허물 벗은 매미의 형이하학 뿌리의 수액을 빨아 먹듯 그들이 던져주는 언어에 야금야금 체한다 예리한 나날들 오랜 시간을 견디어 온 흔적이다 세상 밖으로 나오기가 무섭게 짧은 생이 억울해 저리 울다 가는가 우리는 현생의 허물로부터 날마다 우화를 꿈꾼다

적과의 키스

절지동물이었을까

겹겹이 막을 치고 누군가의 방문을 거절한다
바깥세상과는 다른 세계가 있을 것

이미 포획한 먹이는 버린다

다른 먹이가 걸려들도록 미끼를 던지고
한 생이 보기 좋게 걸려들자 숨통을 조인다

포기가 빠를 것

곡예를 타듯 낮은 고도를 유지했지만
벌써 나는 포위망에 걸려들었다

빠져나올 수 없음을 알았을 때
시도한 적과의 키스

적과 적은 동지가 될까

숲이 궁금하다

폭설에 뒤덮인 숲
청설모다람쥐
분주하게 숲을 쏘다니는데
은도끼 금도끼가 궁금한데
산도깨비 방망이만 두들기는데
날짐승들은 무얼 먹고 사는지

숲이 온통 상처투성인데
내 사지는 욱신거리는데
꽁꽁 얼어붙은 숲이 몹시도 궁금한데
나무는 나무들끼리 부대끼는데
사람들은 저들끼리 부대낀다

흰눈 뒤덮인 샤갈의 마을이 궁금한데
너도밤나무 어쩌지 못하는데
나도 어쩔 수 없는데
소나무가지 휘청이는데
상수리나무 덩달아 휘청거리는데
마음이 그리운 숲

103년 만의 폭설, 한파였다는데

너는 잘 있느냐

2부

통화권 이탈지역

달빛에 휘다

스산한 가을부두에 서 있었네
세찬 바람이 삼길포에 닿기 전
거친 물살로 뱃머리에서 출렁였네
보는 이 없어 철퍼덕 선창가에 앉아
달려드는 파도를 밀쳐내고 있었네
드문드문 떠 있는 새우잡이 배들에게
눈물 고루 적재시켰네
마른 생선 대가리처럼
부석부석 물기 없는 눈언저리가
조금씩 따스해지기 시작했네
서편 해는 노을에 감겨가고
포구에 한참 쪼그려 앉아
닿을 곳 모르는 생을 보았네
어느새 내 등은
얼레빗처럼 휘었네

늪이 아픈 밤

이른 아침부터 손님 맞을 준비에 바쁘다 그는 오늘도 여전히 제시간에 맞춰 도착했다 손님 치르는 일이 여간 귀찮은 게 아니다. 행여 그가 찾아오지 않으면 희비를 불러온다. 알을 품어 보지 않은 사람은 모른다 애써 기다리지 않았는데 찾아든 달거리 그가 올 때쯤 새벽이 부른 능내리 먼저 찾아든 생이 있다 비좁은 늪 속에서 자리다툼을 하는지 시끌벅적 소리들 다 모였다 소금장수 풍뎅이 잠 못 든 별 덩달아 날뛰는 메뚜기 북-북 소리에 맞춰 우는 암개구리 도대체 어디가 늪이고 하늘인가 자욱한 안개 나를 숨기기에 안성맞춤이다

한 달 뒤 찾아든 달거리 나를 자궁 안에 가둔다

통화권 이탈지역

굴참나무 숲으로 간다
숲 속 모든 것들이 내게로 왔다

겨우살이에 바쁜 청설모를 따라가다가
이름 없는 들꽃에게 말 건네보다가
멧새의 오후 잠을 헛기침으로 깨우다가
클로버 꽃잎은 왜 바이올렛 색일까
중얼거려보다가
머리에 꽂은 갈꽃
누군가 봐주길 기대하다가
돌아누운 풀잎에게 말 붙여보다가
목이 갈라진 억새의 슬픔
메아리로 되돌려 받다가
일찍 찾아든 산영이 부른 어둠에
숙연해지다가
곧 쏟아질 것 같은 별빛이 눈부셔
잠시 눈을 감아보다가
돌부리에 넘어져 남은 생으로
급히 되돌아왔을 때

하늘을 만나러 간 한 사람이
허공 속에서 홀로 타전하는 벨 소리

하루살이

비는 물 위에 살포시 젖고
마음은 나래를 접어 물 위에 흘려보낸다
삶의 포말은 파장으로 일고
못 견디는 하루살이
물가에 무덤 만들어
오가는 이들 눈길 잡는다
이게 하루살이구나 하루살이야
포말로 부서진 몸통은 어디로 갈까
끝없는 물길 따라
굵고 짧은 하루살이의 여정
금세 흔적 없다.

북한강에서

강 건너 오지 않을 소식 기다리는 우체통
그는 물에서 건져 올린
주검을 밤새 지켜주었다
나를 내려놓고 떠난 그는
이미 내 안에 없다
가질 것도 버릴 것도 없는
감기지 않는 눈
노을 속에 모든 걸
지워가고 있을 때
늦가을 오후 나무 그늘 밑
지금도 서 있을 빈 우체통
잊혀져간 그의 이름으로
엽서 한 장 받고 싶다

황혼의 금햇살 반짝이는
저 물 위에

봉선화

수술실 창밖으로
급히 달려온
햇살의 과다출혈
잠 깨니 새끼손톱에
스멀스멀 선홍빛 눈물
화장터 연기로 사라진다

텅 빈 뼈마디
노을 진 뜨락 한켠에
흐드러진 봉선화

알을 달지 못한 감나무

두어 평 남짓한 정원
자라다 만 여인이 봄비를 맞고 있다
입만 무성한 감나무
지난겨울 목이 잘렸다
"해거름 때문에 잘라야 한당께"

비 내리는 날이면
구석진 정원에서
구슬피 울고 있다

자화상

성에꽃 한 송이 부서지는 눈처럼 드러눕는다 차디찬 동공은 유리벽처럼 푸르다 하얀 날개를 달고 저 창공을 향해 하늘을 날고 싶은 적이 있다 유리의 서늘한 온기가 가시처럼 온몸을 찌른다 나는 유리벽 안 새를 죽인다 날개가 젖은 새는 벽을 깨고 힘차게 심장을 풀무질해보지만 이미 내가 죽인 새는 날지 못한다.

나무의 수사학

보름달이 뜨면 바람과 물을 삼켜 몸을 부풀린다 수액은 혈관을 타고 흘러 수만 개의 미토콘드리아를 낳는다 나무는 영역을 지키려 때가 되면 스스로 잎을 떨어뜨리고 숲의 공극을 만들어 살을 찌우고 열심히 증산작용을 한다 보름달이 뜨자 생혈을 흘려 생태를 교란시키고 가지와 가지가 얽히고설켜 자신을 번식시킨다 제 몸속의 물을 밤새 토해 이슬을 만든다

그들의 심연을 바라보는 중이다

지금은 열애 중

계절이 바뀌고 있다 침실에 봄 햇살이 들어와 쉬어간다 겨울 끝자락에 선 오후 한나절 창밖에는 눈이 내리고 간신히 버티고 선 꽃대 하나 긴 밤 추위에 떨었을 몸뚱이 미동도 없다 그리웠을 지난여름 몸이 기억한다 아침 꽃대는 다가올 햇살에게 미소를 건넨다 꿋꿋하게 잘 버텨준 네가 참으로 고맙다 소멸의 욕망을 잘 넘긴 화초 나는 많이 늙었지만 늦지 않았다는 것을 알고 있다 머지않아 이국의 화신들을 불러들여 아름다움을 과시할 것이다 블루베리, 밴저민, 부겐베리아 뒤질세라 서로 분단장을 한다 나는 몸을 푼 화초들과 열애 중이다

발로 먹는 밥

만삭인 우체통
발로 밥을 먹는다

임신 당뇨
네 몸속에 기생한 지
20여 년 40대 중반에
생니 10개를 뽑는다

수액이 한 방울씩
떨어질 때마다
슬픔만큼 깊은
잠속으로 빠져든다

먹지 않아도 배부른
우체통

오늘 간신히
버티고 선다

불온한 3월

봇물이 터지기 시작했다

민들레 자궁도 열리기 전 일란성 쌍둥이를
난간에 낳았다 제비꽃도 몸을 풀었다
초경이 시작된 홍매화 몸까지 붉고
곁에 자리한 매실과 벚꽃들
앞다퉈 산고를 겪는다

오랜 갈대숲에는 풍비박산 난 새집이 있고
잡풀은 고스란히
어린 새들에게 보금자리를 내어준다
갈대숲은 따뜻하다

불온한 3월
나는 여전히 춥다

포노 에렉투스

1

땅속에서, 버스 안에서, 기차 안에서, 장소도 가리지 않으며 오만방자하기 이를 데 없는 네가 감히 부끄럽지 않더냐 에라 몹쓸 것아 너와 동고동락한 지 어언 10여 년을 넘기고 보니 강산이 한번 변해 천리를 왔으니 어찌 너와 헤어질 수 있겠냐만 이번엔 새로운 벗을 사귀어야 겠다 큰마음 먹고 요즈음 잘 나간다는 그야말로 최신모델을 소개받았으나 내 취향에는 안 맞는 듯 청승 맞는 너의 울음소리가 그렇게 귀에 익어 오나가나 널 두고 간 죗값으로 소리만 나면 너인 줄 알고 넋 나간 듯 혼미해 있으니 한밤중에 일어나 어둠 속에서 울어대는 네 생각에 안쓰러워 너를 다시 부를까 조금만 더 참고 기다려 준다면 잠시 잠깐 잊었던 너의 주인을 다시 만날 것이니 이천 년 하고 몇 년이 지난 칠월칠석 독한 마음 먹고 너와의 인연 이것으로 끝나는가 했더니 못내 아쉬워 너를 부르노니 너는 공손히 주인을 뵙자와 앞으로는 때와 장소를 가릴 것이며 밤낮을 가려 감히 타인 알기를 네 주인같이 섬기되 피해를 주지 말 것이며 주인보다 앞서 함부로 설치지 말기를 당부하노라 그래도 나와 함께 살아

볼 생각이 있으면 나와서 당장 절하고 목소리를 가다듬고 노래 한번 해줄 것이로되 경박하지 않게 조신하기를 바라노라 그럼 나도 지난 일들을 용서할 것이니 그리 알고 알아서 대처하기를 바라노라 주인 백

2

잘못됨을 알고 주인님과 떨어져 있는 동안 한참을 뉘우치고 반성했습니다. 그러니 부디 저를 용서해 주시고 처음 대하듯 해 주신다면 미천한 제가 목숨이 다하는 날까지 주인님만 섬기겠습니다 주인님의 마음 씀씀이와 너그러움에 다시 한 번 감복합니다 형식적인 말이라 생각지 마시고 저의 진심어린 마음이오니 앞으로 잘 가르쳐 주시면 주인님이 하자 하시는 대로 잘 따르겠습니다 소저 백번 사죄드려도 부족하고 모자랍니다 앞으로는 절대 때와 장소를 가릴 것이며, 밤낮을 구분할 것이며, 경박하지 않을 것이며, 천박스럽지 않도록 행동하며 삼가겠습니다 그동안 모든 게 제 불찰이라 주인님의 낯짝에 똥칠을 했으며 개처럼 아무 데서나 헤프게 굴었습니다 헌데 주인님 비단 저의 잘못만이 아니란 걸 알아주시

니 저로서는 천만다행이고 억울함이 덜합니다 역시 주인님답습니다 언제나 냉철하고 사리 분명하신 주인님이신데 어련하시겠습니까? 저도 할 말이 많지만 딱 두 마디만 하겠습니다 카톡 카톡

* Phone-erectus

12월의 봄

용문산 초입
연초록이거나
하얗거나
빨갛거나
햇살이 무색하다

각양각색의 봄
부처님 배부르셨다

발을 옮길 때마다
톡 톡 꽃망울 터지는 소리
온 산이 피범벅이다

양지바른 곳
붉은 산수유 열매
부처가 산란한
12월의 봄이다

내가 부처를 낳았다

이모비야

그래
너의 어머니는 종이셨다
나의 어머니도 종이셨다

어머니,
파랑새를 보셨나요
당당 멀었다

새-야 새-야 파랑새야
녹두밭에 앉지 마라
녹두꽃이 떨어지면
우리 엄마 울고 간다

쓴 것만 삼키던 어머니
이젠
제가 종이 되었네요

* 이모비야爾母碑也: 『강목』이라는 역사서에 나오는 한 구절.

남이섬

물에 잠긴 산그림자거나
나뭇가지에 걸린 낮달이거나
작은 바람에 나부끼는 잎사귀거나
하늘로만 닿으려는 나무들이거나
아무것에도 공유할 수 없는
만남은 이렇게 막이 내려지고
나룻목에 앉아 남은 생 건너려
줄을 기다리는 행려자들처럼
나란히 뱃전을 기웃거린다

강 건너가 그리운 것일까
떠나는 발자국이거나
뱃고동소리 남기고 간 물살이거나
너울 따라 난 물길이거나
노을이 지기 전
해거름 따라온 빈 배이거나
닿을 수 없는 이쪽과 저쪽
그 거리만큼 떠도는
눈길 하나 멀리 잠긴다

인육의 밤

빛의 무리가 칼을 뽑고 일제히 거리로 나선다 동공 잃은 가로등 사선을 넘고 외발 기차는 떠나간다 포장마차에서 간헐적으로 들려오는 술잔 부딪치는 쇳소리에 나뭇가지 구토를 한다 이방인들은 21개의 구멍을 사수하려 불 주위로 몰려들고 저잣거리를 부유하던 영혼들 안개처럼 거리를 헤매일 때 집으로 들어가지 못한 바람의 행려자들 신호등에 걸린다 청량리, 새벽의 기차 소리 정적을 깨울 때 차디찬 너의 숨소리는 따뜻하다

은유의 방에서

사각 귀퉁이에 낀 먼지들

햇볕 부스러기를 종일 퍼 나르는 일개미
무엇을 살아내는지 무엇을 사는지
무엇이 지금을 지탱케 하는지

널브러진 먹이를 모아
참회하는 영혼을 가둔다.
주인의 몸뚱이를 먹어치운다

말없이 스러져간 텅 빈
뼈마디는 방바닥에 나뒹굴고
물이 태반인 살점을
한 점씩 떼어주는

그래서 참회가 된다면
굳이 용서를 빌지 않아도 될
오만의 세계를 구축하는
위대한 캣츠비

은유의 방에서 사랑하다 죽어도
좋을 사람

3부

팽이가 걸린 창

4월의 장례식

레인코트의 깃을 세운
장례식장의 울음소리가 봄비를 타고
집으로 따라 들었다

흩어진 신발들 사이로
치아가 고른 영정 사진이 웃고 있다

산 자는 그네들끼리 어깨를 맞대
음식 주위로 몰려들고
목 없는 흰 국화는 허적허적
건너편 육교를 넘어간다

긴 연도 소리가 내 귀를 훑고 지날 때
이미 죽은 자의 웃음소리와
죽을 사람들의 울음소리가 끊이지 않는다

어둠은 소리를 죽이지 못하고
나도 잠재우지 못한다

소리만 가득한
고요한 빈방

자사호

— k에게

수평은 수직으로 눕고
수직은 수평을 딛고 선다

주둥이는 좌측으로 기울고
손잡이는 우측으로 어긋나는 듯
침묵으로 누웠다

차를 먹이고 닦아
고운 결로 다듬는다

자신을 양호시키는 사내
본연이 그러했을까

결마다에서 금빛 우아함을
자아내듯 고른 숨결에서
그의 자태를 느낀다

속내를 내비치지 않는 사내
수평을 딛고 수직으로 일어선다

팽이가 걸린 창

된바람 속에 돌아 돈다

팽이만
진종일 돌리는 계집아이
반신불수 아버지의 침묵을 돌리고
집 나간 어머니의 눈물을 돌리고
때려도 울지 않는 팽이
겁내지 말고 돌거라

연소 불량의 해
보일러 얼어버린 방에도 햇살은 드는가

나는 수컷이고 싶다

음조가 발달된 귀뚜라미
암컷을 위한 목소리로 노래할 수 있다면
나는 수컷이고 싶다

목소리를 통해
홀로인 자 더 홀로이게 하고
길 떠난 자 떠날 수 있을 때

횡단보도 앞에 나란히 선
휠체어 미는 여인 등에 업힌 아이
칭얼거림만큼 몸이 흔들리고
하반신 없는 남자를 밀고 있다

땅거미 진 도심 유유히 사라져 가는
그들 집마다 귀뚜라미 세 들어
노래할 수만 있다면

나도 수컷이고 싶다

수종사 풍경

염주를 목에 두른 돌 동자승 해태상 앞에 쪼그려 앉아 찌르레기 여치가 떨어뜨리는 동전을 받고 있다 햇살 부풀은 이름 모를 꽃 나비떼 마당 가득 나풀거릴 때 명상에 든 돌 동자승 물기 없는 눈언저리가 부석부석하다 이 나무 저 나무 혈관을 타고 허공에 매달린 네 눈빛이 내 눈빛이다 뉘엿뉘엿 해는 서산으로 기울어 풀벌레 풍경 소리 깃든 숲으로 가고 강을 건너지 못한 돌 동자승 북한강을 건넌다

오지汚池

바람 든 정강이 쑥대밭이 됐다 뾰족한 날을 디밀어 사각사각 작업을 시작한다 벌겋게 몸을 부풀려 날을 세운다 쫑긋 내 귀가 선다 물어뜯고 뜯기를 하루 이틀 사흘 그리고 삼 년 쑥대밭이 온통 별자리 천국이다 몇 광년 전부터 내 정강이를 침범했을 카시오페이아 별자리가 쌍봉낙타를 닮아 있다 낙타를 만나러 사막으로 간다 사막에서 죽은 낙타 한 마리 부석사 풍경風磬처럼 뼈만 앙상하다 토끼 거북이 니모를 보셨나요 껍데기뿐인 낙타 빙빙 헛도는 팔랑개비 팔 남매의 바람막이 나의 어머니였다 토끼거북이 니모를 찾지 못했는데 별자리가 서로 내 정강이를 차지하려고 온통 쑥대밭을 만들어 자리다툼 중이다

말이 말에게 전하는 말

하늘이 입을 열었다 말에 맞아 따끔따끔하다 말을 전하는 별은 바늘방석에 앉은 듯 따끔하다 내 뒤통수가 켕긴다 뜬금없이 날아든 비보낭보 블라디미르는 고도를 기다리고 대머리 여가수는 부재중이다 어린 소년은 통화권 밖에 있다 하느님은 바늘구멍을 통과할 수 있다고 말씀하신다 쌍봉낙타가 바늘구멍은 통과하고 사진 속 미소년이 빙긋 웃는다

발리에서 생긴 일

짐짝을 싣고 떠내려간 래프팅
낑낑대는 미소년 가이드에 달러를 쥐여준다

꽃을 든 소년과 소녀
중년의 여인네들에게 꽃잎 하나 건네고
꽃처럼 반긴다

겁 없이 받아 든 꽃잎
달러가 되고 아직 꽃잎을
건네지 못한 소년과 소녀
끈질기게 따라붙는다

알갱이마다 파리떼가 먼저 와
시식을 하고 온갖 생이 먹다 버린 알량미
허겁지겁 뱃속으로 구겨 넣는다

달러를 받지 못한
어린아이들 눈가에 이슬이 맺히고
인심 좋게 생긴 내게로 다가와 손을 내민다

달러를 손에 쥔 꼬마 숙녀
어릴 적 내 모습이다

울루와뚜 절벽사원

수컷 원숭이들이 암컷을 두고 아귀다툼을 한다

힘이 부친 늙은 수컷은 헛물만 켠 채 볼일을 보고

암컷을 차지하지 못한 놈은 사원을 떠난다

쇠고랑 찬 놈은 창살 속에 갇혀서 볼일을 본다

넋 놓은 배고픈 원숭이 발정 난 녀석의 먹이가 된다

시지포스의 후예

태평양을 건너온 싸늘한 주검 냉동고 문을 열자 와르르 쏟아져 내린다 빠끔히 눈을 뜬 놈, 반쯤 울다 죽은 놈, 웃다 죽은 놈 그중 한 놈을 택해 성실을 가장한 위선을 가하며 시지프스를 자인한다 밤이 낳은 풍경과 나무, 햇볕과 바람, 죽은 것들과 살아있는 것들을 사랑할 수 있도록 나는 다른 나와 타협한다 적당한 웃음과 몸짓, 신을 거부한 내 안의 시지프스

정육점에 걸린 양심

정육점 중앙에 양심이 걸려있다 지나는 사람들 조금씩 양심을 베어 간다 새까만 양심을 팔아 콧대를 높이고 평수를 넓히고 층수를 높인다 큰기침 한 방에 객객 건물을 토해내고 대지를 토해내고 검은 지폐뭉치를 게워낸다 나는 버려진 양심을 주워 하루를 연명한다

달개비

외진 골짜기에 숨어 피는 달개비 이슬을 머금었다 일생을 은밀한 곳에 숨어 저 홀로 피는 야생화 손이 닿지 않는 순색의 코발트 빛을 발산하는 너는 나의 홍색 틈이다

길

그냥 그리워만 할 걸 그랬습니다 용문사 초입 "숲 속 작은 길" 고요한 숲이 오싹 몸서리쳤습니다 풀은 저들끼리 나부대며 킬킬대고 쫄쫄 대는 물소리, 나뭇잎 일렁이는 소리, 소리란 소리는 다 모여 들썩입니다 불쑥불쑥 얼굴을 내미는 바위들 눈웃음으로 반겨주는 여린 잎들은 고목의 생이었습니다 그 어린 생을 뒤로하고 마냥 숲길을 따라 걸었습니다 돌아가기엔 너무 멀리 와버린 듯합니다 내려갈 때는 마음에 두었던 길로 쉬 내려갈 수 있었습니다 인적이 드문 "숲 속 작은 길"은 잊기로 했습니다 오직 한 길 나와 눈 맞추며 걷던 그 길이 나를 용서한다면 늦기 전에 그 길을 택하겠습니다

모정

라카디마*는 3천5백만 년 전부터 그의 할머니 어머니가 그래 왔듯 본능적으로 사냥하는 방법을 터득했것다 라카디마가 세 살 되던 해 잡은 먹이를 놓치자 다른 침입자가 득세를 했것다 분을 참지 못한 어미가 허공을 향해 울부짖었것다 겁먹은 라카디마 어미를 떠나 처음으로 혼자 되어 며칠을 굶주리자 어미가 알려준 사냥 법을 스스로 기억해 내것다

먼발치에서 지켜보던 어미가 다가와 부드러운 음성으로 화해를 청했지만 그 곁에 새끼 두 마리가 따르고 있어 더 이상 영역의 상속자가 아니란 걸 깨달았것다 어미가 부르는 소리에도 아랑곳하지 않고 발길을 돌리것다 뒷모습을 오랫동안 지켜보던 배고픈 어미 밤새 으르렁거리것다

그 곳은 라카디마의 영역이 아니었다 어미가 그랬던 것처럼 먹이마저 빼앗기고 길을 떠난다

* 라카디마: 아프리카 국립공원에 살고 있는 어린 사자.

암소

안창살 토시살 꾸리살 날마다 부위별로 조금씩 잘려져 나간다 벌겋게 달군 숯불 위에서 노릇노릇 단백질 냄새를 풍긴다 갈비 안쪽이 아프다가 등꼬리가 아프다가 등꼬리 안쪽이 아프다가 오롯이 그들의 입맛에 맞게 달궈진 석쇠 위에서 뒤척인다

최대한 짧은 시간에 가장 센 불에서 익혀 드세요

전생에 소였음직한 큰 눈, 작지 않은 입, 큼직한 코, 전생이나 후생이나 나는 소였거나 소이거나 소일 것이다 다음은 홍두깨살이 잘려나가려는지 엉덩이가 아프고 팔다리가 욱신욱신 저려온다

빈터

지붕 아래 버려진 서랍장
박새가 튼 둥지 아래 초상화 웃고 있다
떠돌던 삼대 마당귀에서 이방인을 홀릴 때

꺼이꺼이 목이 메던 남자
그림 속 유년은 늘 잿빛이었을까
어미는 세 번째 첩이라 했다
먼동이 터오자 거짓말처럼 웃었다
초상화 밤새 비에 젖고
어린 박새가 초상화 위에 앉았다

어디에도 어미의 흔적은 없다

소리의 죽음

늪에 갇힌 개구리울음을 따라
아주 천천히 내게로 온 사내

나는 사내 안에 갇힌다

밤새 빛을 타고 내려왔을 안개
늪의 소리를 일으켜 세운다

아직 철길 건너지 못한 풍경들
망루에 선 망자들

배차를 알리는 기적 소리
온 밤을 깨울 때

나는 아직 살아 있음이다

저 빛을 낚는 사내
이미 내가 죽인 소리다

4D의 일상

부서진 조각구름 땅 위를 구른다 바퀴에 끼어 굴러가는 시간들 긴 연기를 뿜으며 비대해진 지구를 힘겹게 끈다 사막 가운데 덩그러니 서 있는 십자가 연마해 몸매를 만든다 유체이탈한 구름들 저마다 빨간 스카프를 두르고 하늘하늘 도시 한복판에 모여 집회를 한다 가로등 하나둘 앞다퉈 눈을 밝히고 불빛에 사라진 시선들 서울역사에 모여 순천만 갈대가 최고라고 담합한다

늦은 저녁 4D의 일상을 끌고 갈 기차가 레일 위에서 시험가동 중일 때 간 곳 없는 생명들 저마다 유령이 된다

4부

홍어

꽃신

꽃신 사 온다던 어머니 빈 함지박에
달무리만 가득 이고 오셨다

“꽃신 장수가 홍수에
다 떠내려가고 없드라”

눈깔사탕이라도 사오시잖고
종일 배곯고 기다렸건만
거짓말쟁이가 되어버린 어머니
그럼에도 내게 당당하셨다
다음 장에 가서는 꼭 사 오시마던
꽃신
한 번도 신어보지 못했다

감나무에 걸린 초승달이
훌쩍훌쩍 훌쩍인다

해산
— 와온에서

탯줄을 끊자
낭자한 노을이
하늘 가득 번진다

금빛 파도소리에
초승달이
쑥
등 디밀고 나온다

홍어

지푸라기에 한 꾸러미
홍어를 매단 아버지 등이
풍덕천 오일장 달무리 앉은
겨울 그루터기처럼 수척하였다
굵은 땀방울에 살 삭는 냄새가 났다
팔 남매를 둔 무릎 아래
새끼줄 얽힌 한 시절은
홍어를 썩히는 데 다 지났을까

홍어 안주 탁주 한 잔에
진양조 육자배기 배어나고
"니들도 더 살아 봐"
빠진 이 사이사이
배알이 톡톡 터지는 소리
얼큰한 초저녁 술잔 위에
떠오르는 황톳빛 그림자 너머
막막강산에 젖어오는 헛기침 소리

나 지지배배

순천만 새가 초경을 할 때 갈대밭에 바람 들어 불바다가 됐다 피비린내를 맡은 동네 사내 녀석들 온몸이 살랑거려 새를 몰아 알을 훔치거나 어린 새를 잡아 하루쯤 노리개로 가지고 놀다 죽어 갈 때면 다시 물가로 나가 갯바닥에 그만 버려두고 왔다 뒷날 또 그 뒷날 새끼를 잃었거나 알을 잃어버린 어미 새들은 온 갈대밭을 휘젓고 다니며 미친 듯이 지져댔다 나 지지배배 나 지지지지지배……

밤이 되자 더욱 바빠진 새들의 순천만 또 어느 집 어느 새가 초경을 하시는지 온 동네가 들썩들썩 들썩인다

화포만

농익은 입담 털어놓지 못한
검은 뻘의 시린 시절을
바람은 알까

질펀하게 주저앉은 폐선은
까닭 없이 삐걱거리고
아무도 반겨주지 않는 옛 곳

저미는 그리움 자맥질로 달래 왔건만
굽이쳐 흐르다 때리다 멈춰 선
도도한 자태
화포 앞바다

바다 길게 드러누운 해와
저 산을 함께 넘고팠던 수줍던 스무 살
불현듯 중년의 조로
산다고 다 사는 건가
또, 한 잔을 비우니

철 지난
여인이 거기 누워 있다

길 삼베 버리시고

빈 들녘 기러기 울음에
서둘러 물래 젓고
벌겋게 해진 무릎은
울 엄니 속내였다

시린 겨울밤
베틀에 틀어 앉아 북을 치며
한 땀 한 땀 속을 비우데요

생모시 빛바랜 이듬해 봄
배 앓던 길 삼베
한 필 끊어 큰언니 시집보냈더니
한 번도 입어보지 못한 채
귀 헤진 장롱 귀퉁이에 걸려있데요

구만리 주인 없는
생모시 옷 펄럭이고
구순을 넘긴 울 엄니 혼잣말도
허공에 펄럭이데요

"아야 니 언니가 금매
다 버리고 따라오라 쌌는디
이를 어쩐다냐"

체滯 내리는 집

찌든 담배 냄새 스멀스멀 코끝이 간지러워
깨고 나면 아버지 등이었다

새벽을 열어 다다른 장터 후미진 골목 끝
체 내리는 집 내던져진 고깃덩어리

담배 한 개비로 사십 리를 걸으며
등에서 내려놓지 않던 기억 들길에 묻어두고 싶다

빈 하늘 바라보며 가득 웃음 짓던 아버지
콧물도 빨아 키우셨다

비 내리는 날이면 막걸리 한 사발로 배 채우시고
넉넉하게 웃으셨던 기억

며칠째 목구멍에 얹히곤 한다

여자만汝自灣

여자만
막차 기다리는 파도를 잠재운다

어선에 기대선 불빛
하늘을 여는 누리장나무*

흰 꽃잎 하늘 가득 날리고
기다리던 소식 오지 않는다

어둠을 재촉한 장맛비에
묻어온 풀벌레
여자만汝自灣엔 무진장
비만 내린다

* 누리장나무: 마편초과의 낙엽활엽관목.

연꽃 핀 강가

빨간 자전거 울타리에 기댄 채 우두커니 서 있다 색이 바랜 자전거 꽃구름 몰려와 잠시 앉았다간 빈자리 베레모를 눌러 쓴 고추잠자리 노신사 낮술 한잔에 코끝이 따끈하게 익어갈 때 나무에 매달린 연잎 냄새가 코끝을 간질인다 강아지풀 팔을 뻗어 연이 있는 강가로 나를 끌고 간다 노을이 강에 드러누울 때쯤 도깨비술고래 곤드레만드레 달무리 반은 버리고 반만 집으로 가지고 오신다 연꽃 핀 강가 빛바랜 자전거 순천만 고추잠자리노신사 녹슨 페달을 밟고 계신다

오래된 골목

낯선 햇살이 내 등을 어루만진다 추위에 떨고 있는 골목 다정히 웃던 기억들 사라지고 흔적만 남는다 골목이 사라진 뒤 길이 길을 잃고 혼자서 궁시렁거린다 전에 골목이었던 자리 아직도 누군가 서성인다

나이 먹은 골목 해창 고샅길에서 끙끙 앓고 있다

첫사랑

봄을 잉태한 당신 그곳은 따뜻한가요 자운영 피는 어느 봄날 방죽 길 걸으며 새끼손가락 걸던 일 잊으셨나요 여름 한철 돌멩이 맞은 풀벌레 엉엉 울며 별 하나 점지해주던 일도 기억하나요 수박, 참외, 토마토, 마구잡이 서리해온 풋과일 기억하시나요

그 방죽에 내려앉은 풋풋한 노을 아직 잊지 않았나요

맘모스

맘모스가 TV 속에서 눈을 깜박인다 호모사피엔스 귓구멍 눈구멍 콧구멍 구멍은 죄다 멀어 챙겨주는 한 사람, 70년 전만 기억한다 나를 잊은 지 이미 오래 폐쇄된 기억 속에 누군가 찾아와 늘 혼자 궁시렁인다 쑥부쟁이 가득한 고향 집 아버지를 만나러 간다고 떼쓰기도 한다 잘근잘근 뭔가를 되새김질하며 함께 먹기를 권하기도 한다 고장 난 기억 죄다 마루귀퉁이에 차곡차곡 쌓았다가 주섬주섬 옷가지를 챙겼다가 풀어헤치기도 한다 호모사피엔스보다 훨씬 이전에 왔을 맘모스 내 어머니의 오랜 기억

뿔난 게

질펀한 대대 앞바다 뿔게가 두 안테나를 세웠다 잠망경을 밖으로 내밀고 잠시 정찰 중인 뿔게 들어갔다 나갔다 발을 동동거리며 종일 안절부절못한다 외지로 나온 뿔게 외출을 한다 북적대는 동대문 밀리오레 두타에서 아이쇼핑을 하고 종로6가에서 아이스커피를 마시고 종로5가 종로3가를 배회하다 인사동 뒷골목에서 탁주로 목을 축인다 밖으로 나오자 취한 노을이 뿔게를 따라 인사동 거리로 확 쏟아져 나온다 인파에 이리저리 떠밀린 뿔게 종일 찡찡대더니 대대만에 떠 있던 초승달 하나 인왕산 기슭에다 쌍둥이를 낳았다

빌딩과 빌딩 사이로 놀빛 네온이 걸리고 "지금 갈대가 한창이지……" 뿔게 남도 만추晩秋의 초승달과 수신 중이다

몽당손

대대만 황금색 들판에 붉은 햇살 정원 감나무가 지난 가을 톱날에 몽당 잘렸다 '집안에 나무는 함부로 손대는 게 아니여' 저 감나무 오싹 몸서리친다 옆집 담장 너머 쭉 뻗은 몽당손 시름시름 앓더니 흙바람 속으로 떠났다 부슬부슬 비가 내리는 날이면 5월 눈꽃 휘날리는 실버들 천만사 늘여 놓고도 가는 길을 잡지도 못한단 말인가* 윙윙대는 벌떼 갈 길이 참 멀다 지금도 비가 내리면 정원 귀퉁이에서 흐느끼는 감나무 뼛속까지 시리다 대대만 자운영 벚꽃 철쭉 진달래 핑크아지랑이 벙글거리는데……. 잘려진 몽당손 싹이 트는지 손등이 간질간질하다

* 김소월 「실버들」: 실버들 천만사 늘여 놓고도 가는 봄을 잡지도 못한단 말인가

뻘배

이른 아침 달려온 햇살
뻘배 타고 물질을 간다
잡아 놓은 새꼬막 골마다
소녀의 가녀린 미소가
웅크리고 있다
반짝이는 물이랑
짠물에 익숙한 뻘게
안절부절못하는 짱둥어
넘실대는 대대만 갈대
뱃머리에 앉아 물질이
끝났음을 알리는 썰물
만선을 알리는 순천만
용산에 걸친 노을
반딧불이 마중을 간다

가을 언어

로드리게스 아말리아의
어두운 숙명처럼
짙게 내려앉은 오후

색바래 음률
나를 치유하지 못한다

짓이겨진 언어들
아무렇게나 길바닥에 버려져
시선을 끈다

앞다퉈 강물로
뛰어든
죽은 가을의 언어
몸 안에서 산란 중이다

혼불

이슬 마르지 않는 지붕엔
하얀 무명 주검 누워 있다

골목 어귀 대문 밖 짚더미 위에
매달린 밥알 흩어진 지폐 몇 장
지난밤 혼불이 나갔다

며칠 전 강이 저리 울더니
물질하던 열아홉 아낙
물귀신 되어 어미에게 돌아왔다
해풍이 몰고 온 주검
당산나무 그늘 아래 풍장시키고
꽹과리 징소리에 맞춰 춤추는 무당

"천역살로 태어나 청상된 우리 엄니
나 믿고 살아온 애 잦는 세월
먼저 간 지아비가 천신 당에서 저를 기다리니
어쩐다요 엄니"

산 밑에 걸쳐진 매지구름
햇빛에 길을 터준다

또 하나의 무진

순천만 갈대밭에 비가 내린다 아무도 묻지 않았던 타인의 가을, 날선 낮빛이 스산하다 풀잎 한 조각으로 정을 나누는 게들의 세상 도둑처럼 기웃거린다 같은 공기를 나눠 마시며 아직은 덜 성숙한 가을 웃음기 없는 서늘한 미소가 순천 갈대밭을 기웃거리고 갈 새가 지저귄다

또 하나의 무진에서 지난한 방랑의 밤을 보낼까 어쩌다 해는 빠르게 지고 나는 은유의 잠을 청한다

해설

■ 해설

근원적 지평을 향한 동경과 순례의 시학

김 종 태(시인 · 평론가 · 호서대 교수)

1

정병숙 시인은 2003년 『정신과표현』으로 등단한 이후 문인으로서 성실하고 정갈한 삶을 살아왔다. 우리 시대의 개성 있는 여성시인 중 한 명인 그의 시는 근원적 세계에 대한 동경을 기반으로 하면서 현실적 삶에 대한 애절한 연민을 간직하고 있다. 그의 시세계를 제대로 이해하기 위해서는 그가 체험한 공간적 구조에 대한 탐색이 선행되어야 한다. 남도의 풍류, 원형적 자연, 고전의 정취 등이 잘 보존되고 있는 곳에서 성장한 정 시인의 시가 가족과 풍경과 전통을 아우르는 것은 자연스러운 일이다. 또한 그의 시는 서울이라는 낯설고 고독한 도시적 체험과 맞물리면서 더욱 충만한 사랑의 지평에 다다르게 된다.

그의 가슴 깊숙한 곳에 간직된 원형적 공간에 대한 성찰은 그의 시를 이해하는 첫걸음이다. 정병숙 시의 근원성은 그의 고향인 전남 순천과 이어지는데 순천은 풍류와 정취를 잘 보존하고 있는 지역이라는 점에 주목할 필요가 있다. 이곳에서 유년을 보낸 정 시인의 가슴 속에는 늘 고향과 가족에 대한 그리움과 사랑이 가득 차 있다. 이러한 시적 특색이 가장 잘 나타난 작품들은 그의 등단작일 것이다.

지푸라기에 한 꾸러미
홍어를 매단 아버지 등이
풍덕천 오일장 달무리 앉은
겨울 그루터기처럼 수척하였다
굵은 땀방울에 살 삭는 냄새가 났다
팔 남매를 둔 무릎 아래
새끼줄 얽힌 한 시절은
홍어를 썩히는 데 다 지났을까

홍어 안주 탁주 한 잔에
진양조 육자배기 배어나고
"니들도 더 살아 봐"
빠진 이 사이사이
배알이 톡톡 터지는 소리
얼큰한 초저녁 술잔 위에
떠오르는 황톳빛 그림자 너머

막막강산에 젖어오는 헛기침 소리

–「홍어」 전문

「홍어」는 정병숙 시인의 등단작인 동시에 대표작 중 하나이다. 이 시는 남도의 풍류 속에 깃든 가족애와 인간애를 성공적으로 형상화하였다. "한 꾸러미 홍어를 매단 아버지 등"을 "풍덕천 오일장 달무리 앉은 겨울 그루터기"에 비유한 것은 아버지의 고단한 삶이 지닌 지극한 의미에 대한 인식 없이는 불가능했을 것이다. 아버지의 삶은 팔 남매가 의지할 수 있을 만큼 넉넉한 그루터기였을 것이며 그 그루터기에는 살 삭는 냄새 같은 진한 인간애가 배어 있었을 것이다. 삶의 핍진성과 진정성을 동시에 지닌 아버지의 삶은 "홍어 안주 탁주 한 잔"과 "진양조 육자배기" 가락으로 위로를 받고, 그 위로 앞에서 아버지는 "니들도 더 살아 봐"와 같은 인간적 체취가 느껴지는 말씀을 한다. 아버지가 남겨 놓은 이 한 마디는 잠언과도 같다. 이 말은 정병숙 시인의 삶에 큰 위로와 교훈이 되었을 것이며 이것은 그가 평생 올곧은 시인의 삶을 살아가게 한 원동력이 되었을 것이다.

농익은 입담 털어놓지 못한
검은 뻘의 시린 시절을
바람은 알까

질펀하게 주저앉은 폐선은
까닭 없이 삐걱거리고
아무도 반겨주지 않는 옛 곳

저미는 그리움 자맥질로 달래 왔건만
굽이쳐 흐르다 때리다 멈춰 선
도도한 자태
화포 앞바다

바다 길게 드러누운 해와
저 산을 함께 넘고 팠던 수줍던 스무 살
불현듯 중년의 조로
산다고 다 사는 건가
또, 한 잔을 비우니

철 지난
여인이 거기 누워 있다

–「화포만」 전문

전라남도 순천시 별량면에는 화포해변이 있다. 화포만은 화포해변으로 둘러싸인 곳이다. "농익은 입담 털어놓지 못한/검은 뺄의 시린 시절"은 시인이 경험한 고향 체험과 이어지는 상징적 시간이다. "질펀하게 주저앉은 폐선"이 까닭 없이 삐걱거리는 공간에서 아무도 시인을 반겨주지 않았음에도 불구하고 그 시공에 대한 그리움은

도도히 흐르는 물살처럼 멈추지 않았다. 그러기에 오랜 시간이 흐른 지금, 시인은 화포만을 다시 찾아와서 이곳의 풍광을 노래하게 되었을 것이다. 시인의 눈앞에 놓인 세월의 물살은 참으로 멀리 흘렀고 참으로 빠르게 흘러갔다. "저 산을 함께 넘고 팠던 수줍던 스무 살"이 불현듯 중년의 나이가 되었다. "중년의 조"로 한잔의 풍류에 잠기고 있는 「화포만」은 그리움의 노래인 동시에 서러움의 노래이며 외로움의 노래이다.

2.

정병숙 시인의 삶은 향토적 환경에만 머물러 있지 않았다. 그는 고향에서 고교를 졸업한 이후, 상경해서 다양한 도시적 체험을 하게 된다. 서울이라는 낯선 공간에서 그는 터전을 잡고 이웃을 만나고 친구들과 교류하였는데, 그 중심에 위치한 공간이 제기동과 청량리 일대이다. 이 공간은 전통과 모던의 조화를 추구하면서 성장해왔던 수도 서울의 중심 영역이 아니었다. 개발에서 오랫동안 벗어나 있던 공간, 향토적이고 전근대적인 요소가 많이 남아 있는 공간, 서민들의 인정이 살아 숨 쉬는 공간이 바로 이곳이다. 이 공간을 배경으로 정병숙 시인의 시는 고향 체험과 대비되는 중요한 문학적 자장을 형성하게 된다. 이 공간을 배경으로 쓴 작품들이 「자줏빛 나무대문 집」「해 뜨는 집」「토르소의 노래」 등일 것이다. 특히 집이라는 공간과 관련된 작품들은 정병숙 시인의 내면구조를 잘 보여주고 있다.

> 제기동에 토르소가 산다 이른 아침마다 유리컵에 작은 바다가 담긴다 쪽빛 순천만 아른대는 고향 바다 칼갈매기 쌩 허공을 벤다 깃털구름의 붓 하나 잠시 떠 있다 토르소가 팔을 휘저어 일필휘지 수평선을 긋고 그윽이 바라보는 작은 바다 해가 떠오른다 와온 앞 바다가 환하다 용왕님, 해파리, 말미잘, 해삼, 멍게는 성히 잘 있나요 어쩌나 가늠하지 못할 팔 없는 외로움 파도에 중심 기우뚱 몸이 흔들린다 밤마다 돋고 자라나는 토르소의 깃털, 묵향이 어둡고 후미진 골목에서 나비 떼춤을 춘다
>
> –「해 뜨는 집」 전문

정병숙 시인의 시는 서사 구조를 형상화하는 경우가 많다. 또한 그의 시는 섬세한 묘사적 진술을 수시로 간직하고 있다. 이 시에서도 서사와 묘사는 매우 개성적인 문체를 통해서 잘 구현되고 있다. 이 시의 소재는 제기동에 존재하는 "토르소"이다. 토르소는 머리도 없고 팔도 없고 다리도 없이 존재하는 조각상이다. 몸통만으로 존재하는 토르소는 그 결핍된 모습으로 인하여 더욱 강렬한 인상을 주게 된다. 제기동에 사는 토르소가 "팔을 휘저어 일필휘지 수평선을" 그으면 유리컵에 담긴 "작은 바다"에도 해가 떠오른다. "토르소의 깃털, 묵향이 어둡

고 후미진 골목에서 나비떼춤을 춘다"라는 구절에 이르러 제기동의 토르소는 초월적인 의미까지 지니게 된다. 제기동에 사는 토르소는 시인에게 고향의 바다, 나아가 초월적 세계에 대한 그리움을 불어넣는 신비로운 존재인 것이다.

밥상 일찍 물린
자줏빛 나무대문 집 할머니
휜 허리 펴가며
등 굽은 손자 녀석 손 붙들고
종이 더미에 긴 한숨 실은 채

"그 집안은 딸이 셋 모두
다른 서방 본겨 지 새끼들
버리고 미친 것들이제"

까치와 참새들 뜰에 모여
개밥그릇에 붙은
밥풀 쪼아 먹을 때
목련은 다시 피어날까

여덟 번 수술 받았다는 다섯 살 아이
신동이라 칭찬 늘어놓던 할머니
새벽녘 곡哭인 듯 오랜 기도 소리
해맑은 아이의 웃음소리

정릉천 아래 별똥별 하나

–「자줏빛 나무대문 집」 전문

이 시는 "자줏빛 나무대문 집"을 배경으로 하여 이 집에서 살아가고 있는 할머니 한 분을 주인공으로 삼고 있다. 이 할머니에게는 아픈 사연들이 많다. 할머니의 휜 허리처럼 다섯 살짜리 손자 역시 등이 굽었다. 그 아이가 수술을 여덟 번 받은 것은 아마도 굽은 등 때문이었을 것이다. 폐지를 주워서 생계를 이어가는 할머니는 새끼들을 버리고 떠난 자신의 딸을 대신하여 아픈 아이를 키우고 있는 것이다. 시인은 그들의 삶이 지닌 고통이 언젠가 해소되기를 바라는 마음으로 목련이 다시 피어나는 시간을 기약해 본다. 시인은 그런 시간이 다시 올 것이라고 믿는 것일까! 그 시간이 다시 올지는 아무도 확신할 수 없겠지만, 시인은 "새벽녘 곡哭인 듯 오랜 기도 소리" 속에서 "해맑은 아이의 웃음소리"는 사라지지 않을 것이라는 점만은 믿고 있다.

3.

고향과 도시를 아우르는 정병숙의 시정신의 근간은 인정과 사랑이다. 즉 정병숙 시인은 휴머니즘을 지향하는 시인이다. 이번 시집 『저녁으로의 산책』은 등단 17년 만에 내놓는 참으로 뜻깊고 소중한 시집이다. 정병숙 시인은 등단 이후 오랜 세월 동안 문인인 동시에 교육자로서의 삶을 살아왔다. 그는 가슴 깊이 간직한 휴머니즘의 정신으로 주위의 모든 이를 껴안고 사랑했을 것이다.

저녁은 너무 일찍 찾아들었다
길 나선 달빛보다 먼저 옷 갈아입고
야생의 영혼들 마른 옷깃 흔드니
갱년기 앓던 민들레의 봄 꿈이
홀씨처럼 피어난다
남몰래 아픈 이들 저녁은 길다
알 수 없는 그리움이
나무에서 나무로
얼었던 내 혈관을 타고 흘러
말랐던 감각의 관다발을 흔든다

살아야겠다 다짐하는 안개 바람 속
도둑고양이 한 마리 쓰레기 뒤적이고
전선 없는 전봇대에 바람이 매달린다
늦은 귀가를 서두르는 자동차의 행렬
꼬리가 길다

나는 나로부터 너무 멀리 왔다

–「저녁으로의 산책」 전문

이 시의 제목이 '저녁으로의 산책'이기는 하지만, 정병숙 시인의 산책과 순례에는 낮과 밤의 경계가 따로 없다. 정병숙 시인의 산책은 인간과 자연을 향한 연민과 사랑이 중요한 것이지 시간이 중요한 것은 아니기 때문이다. 이 세상에 존재하는 모든 슬픈 것들을 위하여 시인은 지금 외출을 시도하고 있다. 그의 외출이 시작될 무렵 이미 저녁은 그의 동네에 찾아왔다. 저녁의 공간은 달빛으로 가득 차 있고 그 달빛이 비치는 밤거리 속으로 시인은 걸어가고 있다. "갱년기 앓던 민들레의 봄꿈"을 간직한 아픈 사람들에게 저녁은 길지만, 그 사람들을 향하여 걸어가고 있는 시인의 마음이 있기에 그리움은 "말랐던 감각의 관다발을 흔"든다. 그 관다발 속에서 새로운 물줄기는 흘러갈 것이다. "살아야겠다 다짐하는 안개바람 속"에서 늦은 귀가를 서두는 차량들이 줄지어 서 있는데 이는 새로운 생존에의 지향을 보여주는 모습일 것이다.

이 시의 마지막 구절인 "나는 나로부터 너무 멀리 왔다"는 정병숙 시의 핵심적인 시의식을 여실히 보여주고 있다. "나"라는 근원, "나"라는 우주로부터 너무 멀리 왔다는 인식이 담겨 있는 구절이다. 이 구절은 정병숙 시의 내면구조가 근원과 우주에 대한 회귀의식을 지녔다는 것을 잘 보여주고 있다. 정병숙 시인의 시세계는 언제나 근원적 세계에 대한 동경을 보여주고 있다. 그의 동경은 고향과 인간에 대한 사랑에서 시작하였고 문학적 연륜을 더해갈수록 그 동경은 신성한 의미로서의 순례로 깊어져 가고 있다. 순례의 근원인 고향, 가족, 자연, 인간을 바탕으로 하여 정병숙 시인의 시세계는 초월과 회귀의 의미망에 다다르게 된다.

> 초여름 숲이 불러 나갔다 자작나무 기둥 너머 탈각한 매미의 발자국을 본다 별과 대작하며 거나하게 취한 밤, 달을 등진 암흑 속에서 오랜 유충의 시절 허물 벗은 매미의 형이하학 뿌리의 수액을 빨아 먹듯 그들이 던져주는 언어에 야금야금 체한다 예리한 나날들 오랜 시간을 견디어 온 흔적이다 세상 밖으로 나오기가 무섭게 짧은 생이 억울해 저리 울다 가는가 우리는 현생의 허물로부터 날마다 우화를 꿈꾼다
>
> —「우화를 꿈꾸며」 전문

이 시는 근원성에 대한 탐색과 초월의 의미망에 대한 접근을 동시에 보여주고 있다. 이러한 시정신의 근간에는 타자를 향한 동정과 연민, 박애주의적 정신이 깃들어 있다. 잠시 잠깐의 생을 살기 위해서 그토록 오랜 시간 동안 땅속에서 유충으로 묻혀 지내야 하는 매미의 삶에 시인은 주목한다. 시인은 "탈각한 매미의 발자국"을 바라보면서 "그들이 던져주는 언어에 야금야금 체"하듯 매미의 소리를 경청한다. 어떤 슬픔과 한이 있었기에 매미는 저리 서럽게 울고 있는 것일까? 시인은 그 해답을 매

미의 삶이 지닌 순간성에서 찾는다. 인간의 삶 역시 매미의 삶만큼 허무하고 짧은 것은 아닐까! "우리는 현생의 허물로부터 날마다 우화를 꿈꾼다"라는 구절은 삶의 무상함에 대한 초극 의지, 나아가 인간 삶에 대한 무한한 애정을 보여주고 있다. 요컨대 이 시는 휴머니즘과 박애주의에 근간을 두면서 삶의 무상성을 승화시키는 초월의지와 회귀의식을 형상화하고 있다.

요컨대 정병숙 시인의 시에 뿌리 깊게 흐르고 있는 초월의지와 회귀의식은 근원성에 대한 성찰에서 비롯되었다. 순수와 자유를 향한 그리움에서 시작한 동경은 초월과 승화의 형이상학으로 깊어져 갔다. 정병숙 시인이 이루어놓은 개성 있는 휴머니즘과 초월의 시정신이 주는 감동의 깊이가 예사롭지 않다. 등단 이후 기나긴 절차탁마의 시간을 통해서 참으로 오랜만에 선보이는 첫 시집 『저녁으로의 산책』에 축하를 보내며, 그의 문학이 앞으로 새롭게 펼쳐 보일 진경을 기대하는 바이다.

황금알 시인선

01 정완영 시집 | 구름 山房산방
02 오탁번 시집 | 손님
03 허형만 시집 | 첫차
04 오태환 시집 | 별빛들을 쓰다
05 홍은택 시집 | 통점痛點에서 꽃이 핀다
06 정이랑 시집 | 떡갈나무 잎들이 길을 흔들고
07 송기흥 시집 | 흰뺨검둥오리
08 윤지영 시집 | 물고기의 방
09 정영숙 시집 | 하늘새
10 이유경 시집 | 자갈치통신
11 서춘기 시집 | 새들의 밥상
12 김영탁 시집 |새소리에 몸이 절로 먼 산 보고 인사하네
13 임강빈 시집 | 집 한 채
14 이동재 시집 | 포르노 배우 문상기
15 서　량 시집 | 푸른 절벽
16 김영찬 시집 | 불멸을 힐끗 쳐다보다
17 김효선 시집 | 서른다섯 개의 삐걱거림
18 송준영 시집 | 습득
19 윤관영 시집 | 어쩌다, 내가 예쁜
20 허　림 시집 | 노을강에서 재즈를 듣다
21 박수현 시집 | 운문호 붕어찜
22 이승욱 시집 | 한숨짓는 버릇
23 이자규 시집 | 우물치는 여자
24 오창렬 시집 | 서로 따뜻하다
25 尹錫山 시집 | 밥 나이, 잠 나이
26 이정주 시집 | 홍등
27 윤종영 시집 | 구두
28 조성자 시집 | 새우깡
29 강세환 시집 | 벚꽃의 침묵
30 장인수 시집 | 온순한 뿔
31 전기철 시집 | 로깡땡의 일기
32 최을원 시집 | 계단은 잠들지 않는다
33 김영박 시집 | 환한 물방울
34 전용직 시집 | 붓으로 마음을 세우다
35 유정이 시집 | 선인장 꽃기린
36 박종빈 시집 | 모차르트의 변명
37 최춘희 시집 | 시간 여행자
38 임연태 시집 | 청동물고기
39 하정열 시집 | 삶의 흔적 돌
40 김영석 시집 | 거울 속 모래나라
41 정완영 시집 | 詩菴시암의 봄
42 이수영 시집 | 어머니께 말씀드리죠

43 이원식 시집 | 친절한 피카소
44 이미란 시집 | 내 남자의 사랑법法
45 송명진 시집 | 착한 미소
46 김세형 시집 | 찬란을 위하여
47 정완영 시집 | 세월이 무엇입니까
48 임정옥 시집 | 어머니의 완장
49 김영석 시선집 | 모든 구멍은 따뜻하다
50 김은령 시집 | 차경借憬
51 이희섭 시집 | 스타카토
52 김성부 시집 | 달항아리
53 유봉희 시집 | 잠깐 시간의 발을 보았다
54 이상인 시집 | UFO 소나무
55 오시영 시집 | 여수麗水
56 이무권 시집 | 별도 많고
57 김정원 시집 | 환대
58 김명린 시집 | 달의 씨앗
59 최석균 시집 | 수담手談
60 김요아킴 야구시집 | 왼손잡이 투수
61 이경순 시집 | 붉은 나무를 찾아서
62 서동안 시집 | 꽃의 인사법
63 이여명 시집 | 말뚝
64 정인목 시집 | 짜구질 소리
65 배재열 시집 | 타전
66 이성렬 시집 | 밀회
67 최명란 시집 | 자명한 연애론
68 최명란 시집 | 명랑생각
69 한국의사시인회 시집 | 닥터 K
70 박장재 시집 | 그 남자의 다락방
71 채재순 시집 | 바람의 독서
72 이상훈 시집 | 나비야 나비야
73 구순희 시집 | 군사 우편
74 이원식 시집 | 비둘기 모네
75 김생수 시집 | 지나가다
76 김성도 시집 | 벌락마을
77 권영해 시집 | 봄은 경력 사원
78 박철영 시집 | 낙타는 비를 기다리지 않는다
79 박윤규 시집 | 꽃은 피다
80 김시탁 시집 | 술 취한 바람을 보았다
81 임형신 시집 | 서강에 다녀오다
82 이경아 시집 | 겨울 숲에 들다
83 조승래 시집 | 하오의 숲
84 박상돈 시집 | 와! 그때처럼
85 한국의사시인회 시집 | 환자가 경전이다
86 윤유점 시집 | 내 인생의 바이블 코드

87 강석화 시집 | 호리천리
88 유　담 시집 | 두근거리는 지금
89 엄태경 시집 | 호랑이를 탔다
90 민창홍 시집 | 닭과 코스모스
91 김길나 시집 | 일탈의 순간
92 최명길 시집 | 산시 백두대간
93 방순미 시집 | 매화꽃 펴야 오것다
94 강상기 시집 | 콩의 변증법
95 류인채 시집 | 소리의 거처
96 양아정 시집 | 푸줏간집 여자
97 김명희 시집 | 꽃의 타지마할
98 한소운 시집 | 꿈꾸는 비단길
99 김윤희 시집 | 오아시스의 거간꾼
100 니시 가즈토모(西一知) 시집 | 우리 등 뒤의 천사
101 오쓰보 레미코(大坪れみ子) 시집 | 달의 얼굴
102 김　영 시집 | 나비 편지
103 김원옥 시집 | 바다의 비망록
104 박　산 시집 | 무야의 푸른 샛별
105 하정열 시집 | 삶의 순례길
106 한선자 시집 | 울어라 실컷, 울어라
107 김영철 어린이시조집 | 마음 한 장, 생각 한 겹
108 정영운 시집 | 딴청 피우는 여자
109 김환식 시집 | 버팀목
110 변승기 시집 | 그대 이름을 다시 불러본다
111 서상만 시집 | 분월포芬月浦
112 잇시키 마코토(一色真理) 시집 | 암호해독사
113 홍지헌 시집 | 나는 없네
114 우미자 시집 | 첫 마을에 닿는 길
115 김은숙 시집 | 귀띔
116 최연홍 시집 | 하얀 목화꼬리사슴
117 정경해 시집 | 술항아리
118 이월춘 시집 | 감나무 맹자
119 이성률 시집 | 둘레길
120 윤범모 장편시집 | 토함산 석굴암
121 오세경 시집 | 발톱 다듬는 여자
122 김기화 시집 | 고맙다
123 광복70주년, 한일수교 50주년 기념 한일 70인 시선집 | 생의 인사말
124 양민주 시집 | 아버지의 늪
125 서정춘 복간 시집 | 죽편竹篇
126 신승철 시집 | 기적 수업
127 이수익 시집 | 침묵의 여울
128 김정윤 시집 | 바람의 집
129 양　숙 시집 | 염천 동사炎天 凍死
130 시문학연구회 하로동선夏爐冬扇 시집 | 안개가 자욱한 숲이다

131 백선오 시집 | 월요일 오전
132 유정자 시집 | 무늬
133 허윤정 시집 | 꽃의 어록語錄
134 성선경 시집 | 서른 살의 박봉 씨
135 이종만 시집 | 찰나의 꽃
136 박중식 시집 | 산곡山曲
137 최일화 시집 | 그의 노래
138 강지연 시집 | 소소
139 이종문 시집 | 아버지가 서 계시네
140 류인채 시집 | 거북이의 처세술
141 정영선 시집 | 만월滿月의 여자
142 강흥수 시집 | 아비
143 김영탁 시집 | 냉장고 여자
144 김요아킴 시집 | 그녀의 시모노세끼항
145 이원명 시집 | 즈믄 날의 소묘
146 최명길 시집 | 히말라야 뿔무소
147 시문학연구회 하로동선夏爐冬扇 시집 2 | 출렁, 그대가 온다
148 손영숙 시집 | 지붕 없는 아이들
149 박　잠 시집 | 나무가 하늘뼈로 남았을 때
150 김원욱 시집 | 누군가의 누군가는
151 유자효 시집 | 꼭
152 김승강 시집 | 봄날의 라디오
153 이민화 시집 | 오래된 잠
154 이상원李相源 시집 | 내 그림자 밟지 마라
155 공영해 시조집 | 아카시아 꽃숲에서
156 미즈타 노리코(水田宗子) 시집 | 귀로
157 김인애 시집 | 흔들리는 것들의 무게
158 이은심 시집 | 바닥의 권력
159 김선아 시집 | 얼룩이라는 무늬
160 안평옥 시집 | 불벼락 치다
161 김상현 시집 | 김상현의 밥詩
162 이종성 시집 | 산의 마음
163 정경해 시집 | 가난한 아침
164 허영자 시집 | 투명에 대하여 외
165 신병은 시집 | 곁
166 임채성 시집 | 왼바라기
167 고인숙 시집 | 시련은 깜찍하다
168 장하지 시집 | 나뭇잎 우산
169 김미옥 시집 | 어느 슈퍼우먼의 즐거운 감옥
170 전재욱 시집 | 가시나무새
171 서범석 시집 | 짐작되는 평촌역
172 이경아 시집 | 지우개가 없는 나는
173 제주해녀 시조집 | 해양문화의 꽃, 해녀
174 강영은 시집 | 상냥한 시론詩論

175 윤인미 시집 | 물의 가면
176 시문학연구회 하로동선夏爐冬扇 시집 3 | 사랑은 종종 뒤에 있다
177 신태희 시집 | 나무에게 빚지다
178 구재기 시집 | 휘어진 가지
179 조선희 시집 | 애월에 서다
180 민창홍 시집 | 캥거루 백bag을 멘 남자
181 이미화 시집 | 치통의 아침
182 이나혜 시집 | 눈물은 다리가 백 개
183 김일연 시집 | 너와 보낸 봄날
184 장영춘 시집 | 단애에 걸다
185 한성례 시집 | 웃는 꽃
186 박대성 시집 | 아버지, 액자는 따스한가요
187 전용직 시집 | 산수화
188 이효범 시집 | 오래된 오늘
189 이규석 시집 | 갑과 을
190 박상옥 시집 | 끈
191 김상용 시집 | 행복한 나무
192 최명길 시집 | 아내
193 배순금 시집 | 보리수 잎 반지
194 오승철 시집 | 오키나와의 화살표
195 김순이 시선집 | 제주야행濟州夜行
196 오태환 시집 | 바다, 내 언어들의 희망 또는 그 고통스러운 조건
197 김복근 시조집 | 비포리 매화
198 시문학연구회 하로동선夏爐冬扇 시집 4 | 너에게 닿고자 불을 밝힌다
199 이정미 시집 | 열려라 참깨
200 박기섭 시집 | 키 작은 나귀 타고
201 천리(陳黎) 시집 | 섬나라 대만島/國
202 강태구 시집 | 마음의 꼬리
203 구명숙 시집 | 뭉클
204 옌즈(阎志) 시집 | 소년의 시少年辞
205 문학청춘작가회 동인지 2 | 그날의 그림자는 소용돌이치네
206 함국환 시집 | 질주
207 김석인 시조집 | 범종처럼
208 한기팔 시집 | 섬, 우화寓話
209 문순자 시집 | 어쩌다 맑음
210 이우디 시집 | 수식은 잊어요
211 이수익 시집 | 조용한 폭발
212 박 산 시집 | 인공지능이 지은 시
213 박현자 시집 | 아날로그를 듣다
214 시문학연구회 하로동선夏爐冬扇 시집 5 | 너를 버리자 내가 돌아왔다
215 박기섭 시집 | 오동꽃을 보며
216 박분필 시집 | 바다의 골목
217 강홍수 시집 | 새벽길
218 정병숙 시집 | 저녁으로의 산책